*«Les hommes se distinguent par ce qu'ils montrent
et se ressemblent par ce qu'ils cachent.»*
Paul Valéry

Pour Tania Ramos

Du même auteur

Le monde à l'envers
Au lit, petit monstre !
Moi pas **|** Moi aussi
Quand j'étais petit
Le roi est occupé
Le petit soldat qui cherchait la guerre
Maman !
Roméo et Juliette
Nuno, le petit roi
Valentin la Terreur
C'est moi le plus fort
Un cadeau fabuleux
Je ne suis pas une souris
La princesse Grenouille
Mon œil !
Tout en haut
Un monde de cochons
Loup, Loup, y es-tu ?

ISBN : 978-2-211-08879-4

© 2006, *l'école des loisirs*, Paris

Loi 49 956 du 16 juillet 1949 sur les publications
destinées à la jeunesse : septembre 2006
Dépôt légal : février 2008

Mise en pages : *Architexte*, Bruxelles
Photogravure : *Media Process*, Bruxelles
Imprimé en France par *Mame*, Tours

Mario Ramos

C'EST MOI LE PLUS BEAU

PASTEL

l'école des loisirs

Après un délicieux petit déjeuner,
l'incorrigible loup enfile
son plus beau vêtement.
«Hum! Ravissant! Je vais faire
un petit tour pour que tout le monde
puisse m'admirer!» dit le loup.

Il croise le petit chaperon rouge.
«Oh! Quel délicieux petit costume!
Dis-moi, petite fraise des bois,
qui est le plus beau?» demande le loup.

«Le plus beau… c'est vous Maître Loup!»
répond le petit chaperon.

«Et voilà! La vérité
sort de la bouche des enfants.
C'est moi le plus élégant,
c'est moi le plus charmant»,
fanfaronne le loup.

Il rencontre alors les trois petits cochons.
«Hé! Les petits lardons! Encore à gambader
dans les bois pour perdre du poids!
Dites-moi, les petits boursouflés,
qui est le plus beau?» lance le loup.

«Oh! C'est vous… Vous êtes merveilleux,
vous brillez de mille feux!»
répondent les petits en tremblotant.

«Hé! Hé! Je brille et j'éblouis.
Je resplendis et je rayonne.
J'illumine les bois de ma personne.
Je suis une pure merveille»,
jubile le loup.

Il rencontre ensuite les sept nains.
«Hou! Votre mine est épouvantable,
les gars! Faudrait penser à vous reposer.
Bon. Savez-vous qui est le plus beau?»
interroge le loup.

«Le plus beau... c'est... c'est vous,
grand loup!» disent les petits hommes.

«Tadi, tirladada !
C'est moi la vedette de ces bois»,
chantonne le loup.
«Ha ! Ha ! Je suis en super forme,
moi, aujourd'hui !»

Puis il croise Blanche-Neige.
«Hou là là! Que vous êtes pâlichonne!
Vous avez l'air malade, ma pauvre fille!
Faudrait vous soigner.
Enfin... Regardez bien et dites-moi:
qui est le plus beau?»

«Mais... heu... c'est vous»,
répond la petite.

«Hou! Hou! Mais oui, bien sûr!
Bonne réponse, bravo mon enfant!
C'est moi le roi de ces bois.
Tous les regards sont braqués sur moi.
Merci, merci, cher public!» hurle le loup.

Il rencontre alors le petit dragon.
«Oh! Bonjour… Quelle surprise…
Ta maman est là?» s'inquiète le loup
en regardant autour de lui.

«Non, non! Mes parents
sont à la maison», répond le petit.

«Ha, ha! Parfait, parfait!
reprend le loup rassuré.
Dis-moi, ridicule petit cornichon,
qui est le plus beau?»

«Le plus beau, c'est mon papa
et c'est lui qui m'a appris
à cracher du feu!

Maintenant, laisse-moi tranquille
avec tes questions idiotes !
Moi, je joue à cache-cache
avec l'oiseau»,
répond le petit dragon.